Benjamin le détective

D'après un épisode de la série télévisée *Benjamin* produite par Nelvana Limited, Neurones France s.a.r.l. et Neurones Luxembourg S.A., et basée sur les livres *Benjamin* de Paulette Bourgeois et Brenda Clark.

Texte de Sharon Jennings.
Illustrations de Céleste Gagnon, Sean Jeffrey, Sasha McIntyre, Shelley Southern et Laura Vegys.
Texte français de Christiane Duchesne

Basé sur l'épisode télévisé *Franklin the Detective*, écrit par Brian Lasenby.

Benjamin est la marque déposée de Kids Can Press Ltd.
Le personnage *Benjamin* a été créé par Paulette Bourgeois et Brenda Clark.

Catalogage avant publication de la Bibliothèque nationale du Canada

Jennings, Sharon
[Franklin the detective. Français]
Benjamin le détective / Sharon Jennings ; illustrations de
Céleste Gagnon... [et al.] ; texte français de Christiane Duchesne.

(Je lis avec toi)
Traduction de: Franklin the detective.
Basé sur les personnages créés par Paulette Bourgeois et Brenda Clark.
Pour les 4-7 ans.
ISBN 0-439-96693-0

I. Gagnon, Céleste II. Duchesne, Christiane, 1949- II. Bourgeois, Paulette
IV. Clark, Brenda V. Titre. VI. Titre : Franklin the detective. Français.
V. Collection.

PS8569.E563F7192514 2004   jC813'.54   C2004-901373-4

Édition publiée par les Éditions Scholastic, 175 Hillmount Road, Markham (Ontario) L6C 1Z7, avec la permission de Kids Can Press Ltd.

5 4 3 2 1   Imprimé en Chine   04 05 06 07

Benjamin le détective

Éditions
■SCHOLASTIC

Benjamin sait nouer ses lacets.

Il sait compter par deux.

Il sait aussi repérer des indices.

Benjamin est détective.

Lorsqu'il porte son chapeau de détective

et son manteau de détective,

Benjamin mène l'enquête!

Un jour, la maman de Benjamin range

la nourriture après avoir fait les courses.

— Je ne trouve pas mon sac à main! dit-elle.

— Je vais le retrouver, dit Benjamin. Je suis

détective.

Il met son chapeau de détective et enfile

son manteau de détective.

Benjamin mène l'enquête!

Benjamin cherche dans

la voiture.

Il regarde

par terre.

Il fouille la cuisine.

Il réfléchit

un instant.

— AHA! s'écrie Benjamin.

Il ouvre le frigo.

Le sac à main est rangé à côté du lait.

— Merci, dit sa maman. Tu es un très

bon détective.

Le lendemain, Benjamin aperçoit

Lili le castor, Martin l'ours et

Raffin le renard.

Ils ont un bâton et des gants

de baseball.

Ils ont l'air triste.

— AHA! s'écrie Benjamin. J'ai l'intuition

que quelque chose ne va pas!

— C'est vrai, dit Lili. Nous…

— Attends! crie Benjamin. Laisse-moi

deviner!

Benjamin observe ses amis.

– Hummm… dit-il.

Vous avez tout

ce qu'il faut pour

une partie de baseball,

sauf la balle.

— Tu brûles, dit Lili.

— AHA, s'écrie Benjamin. Vous ne pouvez pas jouer au baseball parce que quelqu'un a *oublié* la balle.

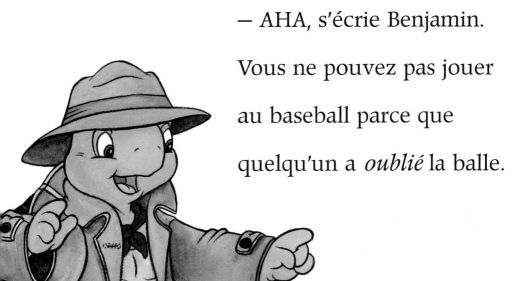

Martin secoue la tête.

— Nous *avions* une balle, dit-il.

Mais Raffin l'a frappée dans le bois.

Benjamin se lève d'un bond.

— Je suis détective, dit-il. Je vais

la retrouver, votre balle.

— Comment? demande Lili.

— Je vais chercher des indices, répond

Benjamin.

— Ooooooh! font ses amis.

Ils s'en vont tous au parc.

— J'étais ici et j'ai frappé la balle, dit Raffin.

— J'ai vu la balle frapper cet arbre-là,

précise Martin.

— Puis elle a disparu, ajoute Lili.

Benjamin marche vers l'arbre.

Il montre du doigt des empreintes sur le sol.

— Ce sont les empreintes de Béatrice, dit-il.

Vous ne m'avez pas dit que Béatrice était

avec vous.

— Elle ne l'était pas, dit Lili.

— AHA! dit Benjamin. J'ai l'intuition que

Béatrice a trouvé votre balle!

Ils vont voir Béatrice.

— As-tu trouvé leur balle de baseball?

lui demande Benjamin.

— Non, dit Béatrice.

— Mais tu étais près de l'arbre, dit Benjamin.

Béatrice fait oui de la tête.

— J'ai entendu un *paf*,

dit-elle. Puis un *plouf*.

Mais je n'ai pas vu

la balle.

— Un *plouf*? dit Benjamin.

Hummm...

Il réfléchit un instant.

— AHA! s'écrie Benjamin.

Suivez-moi!

Les amis de Benjamin le suivent

jusqu'à l'étang.

— J'ai résolu le mystère de la balle

disparue, dit-il. La balle a d'abord frappé

l'arbre, puis elle est tombée dans l'étang.

— Super! s'écrie Martin.

C'est vrai que tu es

un bon détective.

Ils sautent tous à l'eau.

Mais personne ne trouve la balle.

— Tu n'es pas vraiment un bon détective,

dit Lili.

Les amis de Benjamin décident de rentrer

chez eux.

Benjamin retourne au parc.

— Je vais suivre la piste encore une fois,

dit-il.

Il se place à l'endroit où se tenait Raffin.

Il fait semblant de frapper une balle.

Puis il court vers l'arbre.

Il lance une pierre sur l'arbre.

Paf!

Plouf!

Une pomme tombe dans l'étang.

— AHA! s'écrie Benjamin. Ce n'est pas

la balle qui est tombée dans l'étang.

C'est une pomme!

Benjamin réfléchit encore.

— Alors, ça veut dire que...

Puis il lève les yeux, plus haut, plus haut...

— AHA! s'écrie-t-il encore.

Benjamin ramasse d'autres pierres.

Il les lance sur l'arbre.

Une, deux, trois…

Paf!

Plouf!

Paf!

Plouf!

Paf!

Plouf!

Chaque fois, une pomme tombe
dans l'étang.

Benjamin lance une autre pierre

sur l'arbre, de toutes ses forces.

Paf! Poc!

La balle lui tombe sur la tête.

— AÏE! fait Benjamin.

Benjamin court retrouver ses amis.

Il donne la balle à Lili.

— Youpi! dit Lili. Où l'as-tu trouvée?

— Elle était coincée dans l'arbre,

dit Benjamin.

— Super! dit Martin. Comment l'as-tu

récupérée?

— Je vais vous donner un indice,

dit Benjamin.

– Un bon détective doit toujours se servir de sa tête! dit-il avec un sourire.